歌集

家族の肖像

棗隆
Takashi Natsume

短歌研究社

父は奮戦する。〈家長〉、デパートの大食堂、〈世帯主〉、２ＤＫ、核家族、愛車ファミリア……。

父はまた教師として奮戦する。イヂメ、〈シネ！〉、ナイフ、〈サシテヤル！〉、ポケベル、ケータイ、チャパツ、タバコ……。これらの奮戦を透して、やがてまざまざと、愛しくもの悲しい「現代の肖像」が顕ち現れてくる。――――成瀬　有（帯より）

家族の肖像　＊　目次

Ⅰ　学校

かごのとり　10
授業中　11
いろはかるた　12
学校って何だ？　13
心憊れて　14
火垂るの墓　15

Ⅱ　家族

家族の肖像　18
ウルトラ家族　20
ちちんぷいぷい　21
うつしみ家族　22
春待つ家族　23
人生ゲーム　24
親馬鹿・子馬鹿　25
おせち三昧　26

Ⅲ　物　語
遠野物語　28
志ん生のまくら　29
春の終はりに　30
あうむ世代　31
天　塩　32
岬にての物語　33
Ⅳ　青　年
まほろばの恋　36
歳月の闇　37
桜幻想　38
はだすすき　39
宿世の恋　40
のざらし　41
修羅の日々　42
夢のあとさき　43
Ⅴ　幻　影
はかなごと　46
ふたり　47
寄り添ふ影　48

鬚髭　49
惑ひ　50
情死行　51
沖縄戦を憶ふ　52
あとがき　53

歌集

家族の肖像

Ⅰ 学校

かごのとり

教職を隠れ蓑とし十二年かごめかごめの鳥と成り果つ

月曜日電車乗り継ぎゆふぐれは無期謹慎の生徒《やつ》を訪ねむ

亡き友ら想ひつつ乗る中央線秋の多摩川がうと越えたり

吐く息の白きあしたの校門の服装指導むなし。何かが……

水曜日職員会議の議長なればだらだらくだ歩ます日暮れ

見ざる聴かざる言はざるの群れ権力の集中として職員会議

暖簾《のれん》わけ入りし飲み屋の板前に喧嘩うりたる酔ひびといづこ

改築中東京駅一・二番線告別式帰途無常人波

教壇に立てばやる気の湧く午後は嘘も方便、怖きものなし

土曜日の美術の時間、教室に忘れし財布窃られたり「またか！」

迷ひをり退学届の担任欄〈イヂメられ〉とは書けず否、書かず

親なれば子の味方する必然を見抜けず教師われかごの鳥

頭を垂れて終電に酔ひつぶれしは太りたる中年〈ソクラテス〉

かごのとりいつしかかごをとびださむとびだしたきにはねちぎれゐる

授業中

授業開始　出席をとるわが前に悠然たり。Y、弁当喰らふ

授業中　再度注意す。チャイム鳴り十分後、席に着かぬ生徒ら

授業中　私語繰り返す生徒らはつれづれなるままに……〈古典〉の時間

授業中　「ネ！」を繰り返すわが癖を数へをり。教科書持たぬA子は

授業中　漫画読むなと注意され不貞寝するM、寝息うるさし

授業中　つぶやくはN。板書する背を刺すやうに……「火ヲ点ケテヤル！」

授業中　何に苛立つ。ガム吐きて「刺シテヤルゾ！」と叫び出すK

授業中　携帯電話に呼び出され私語を止めたる茶髪《チャパツ》のM子

授業中　喧嘩しはじめTとN。摑み合ふほど拘るものは、何？

授業中　化粧しやまぬY子にて近づけばわれを睨む。激しく

授業中　I子笑はぬその理由「イヂメにあり」と、われ推測す

授業中　ポケベル鳴ればS君に届くメッセージ、「シネ」と入りたる

授業中　説きゐてむなし。「イヂメられず、イヂメられたり……イヂメらるる時」

授業中　こころ寄りゆけり。窓の外に咲く梅の花、いま盛りなる

授業中　わが思ひ出の歌手の名を問へど白けつ。笑ひ出すP子

授業中　退学届を書き泥《なづ》むT子よ。「迷フ必要ハナイ！」

授業中　陽気に笑ふ髪長きU子、アメリカ兵の父持つ

授業中　バイトの話題飛び交へば「時給の高さ」のみに関はる

授業中　教科書出さずバイク雑誌二冊読み了へ、欠伸《あくび》するN

授業終了　チャイムに目覚めむ。号令係F君いまだ夢見ごこちなり

いろはかるた

春！近し。論より証拠、教室の外には紅き梅　咲きそめて
春！嬉し。立て板に水、うふふふふ　甘納豆の句を板書して
春！甘《うま》し。やぶから棒に、実習のチャーハン・酢豚　食べさせられて
春！怪し。闇に鉄砲、教室に置きゐし弁当　窃られ、喰はれて
春！暗し。月にむら雲、教師には　分からぬやうな〈イヂメ〉流行《はや》りて
春！痛し。鬼に金棒、体罰の教師ますます意固地になりて
春！虚し。氏より育ち、授業中。ガム噛み、床にゴミ投げ棄てて
春！悪《わろ》し。油断大敵、教科書を買ふための金　すぐ盗まれて
春！厳し。下手の横好き、月曜の朝の教室　馬券撒かれて
春！辛し。負けるが勝ちと、退学す。〈イヂメ〉られしをNは、隠して
春！寂し。身から出たさび、進級は叶はぬと知り、M子　哭き出して
春！憎し。泣きつらに蜂、三度目の無期謹慎に　Kうなだれて
春！悔し。惚れたが因果、中退を決意す。Y子　産むと云ひ張りて
春！疾《やま》し。似た者夫婦、博打好きの両親を憎み、T子　家出して
春！愛し。鬼も十八、カレ氏とのプリクラ写真　手帖に貼りて
春！楽し。旅は道づれ、ポケットに「たまごっち」入れ、カレと二人で
春！眠し。目の上のこぶ、卒業式に　同窓会会長の祝辞　長くて
春！現《うつ》し。縁は異なもの、保護者会に逢へば母親　幼なじみで
春！苦し。無芸大食、謝恩会に遅れ、保護者の顰蹙《ひんしゆく》　買ひて
春！哀し。知らぬが仏、親たちの会話「今年の担任、ハヅレ！」て

学校って何だ？

溢れだす便器にぼくは手を入れて缶、紙パック、吸ひ殻引き出す

三度目の生徒指導もすつぽかす三年男子に腹立ちやまず

金色のピアス真赤なマニキュアの女子生徒けふも早退したり

休学中の女子生徒が今朝死んだこと授業の前に話すぽつりと

繰り返し注意すれども教科書を持つて来ぬＳ・Ｍと今日対決す

落書きでいつぱいになる黒板の片すみ相合ひ傘さりげなく

「ゴミ箱は〈護美箱〉の謂」と呼びかけて虚しき日々の一つか今日も

〈先生〉と呼ばれて過ごす一日《ひとひ》終へ校門を出るまでの職業？

心憊れて

暗澹たる思ひもて門をくぐる朝やたら陽気なN氏を憎む

泥酔のこころに刺さる棘の束　鈍きひかりを放つ教室

自己中心的行動様式受け継ぎて育ちしゆゑにむなし　ことば

教育的指導といふ蓑身に着けて立つ笠地蔵の赤いよだれかけ

日常の規範とは何　弁当を食ふしぐさまで気になりはじむ

呆然とわれ下りゆく階の果て　明るきひかり飛びゆくつばめ

雨なればあめの服きて家をでるびしよびしよせうせう濡れたるこころ

所在なき午後の海鳴りなりやまぬ風のなかこころ憊れてゐたり

火垂《ほた》るの墓

戦争の始まる朝《あした》　高校生に「万葉集」を説きゐて、むなし

道具屋の甚兵衛さんが売りに来し「火焔太鼓」の轟く戦地

化学《ばけがく》と科学《かがく》のちがひ思ひつつ見てゐる閃光炸裂の町

ホ、ホ、ホタル飛び交ふ闇を突《つ》ん裂《ざ》ける空爆の音アニメ「火垂るの墓」

平和とはピースピースのチョキの型　握りこぶしにいつも勝てない

〈多国籍〉この言葉持つあいまいさ許す許さぬ日本《にっぽん》は冬

掌《て》の中にレモンひとつを握りしめ見にゆく「奴婢訓」（寺山修司）

Ⅱ 家族

家族の肖像

太郎子を成して三年　最近は絵になるらしきぼくら〈家族連れ〉

とりどりのメニュー並びゐるデパートの大食堂に子と妻とゆく

食堂の王様はやはり日の丸の「お子様ランチ」ゆふやけの富士

富士山の頂上に立つ登頂旗白地に赤いウメボシの形《かた》

ケチャップはオレンジ色の憎い奴いつも御飯と恥ぢかはしてる

子の好きなハンバーグこそ最右翼かならず敵対してゐるプリン

ふりかけも忘れてならぬ大切な〈御飯の友〉と子は自覚する

一日《ひとひ》遊び語彙増えし子と居並びて観る大相撲ツッパリ・寄リ切リイ

オレンジの廻し締めてる〈曙〉を子は応援すミドリの負けえ

土俵入りまねて四股踏む子は毎度塩撒く仕草忘れずにする

弓取り式終はり不満を示す子と始めたり〈小錦〉ツッパリごっこ

形容詞・副詞を使ひこなす子は「なかなかいいね」と父を評価す

子の齧るりんごほのかな香を放つ「青森りんごの会」のりんご

パパバナナ・ママバナナ・子バナナと並べ微笑むバナナの親子

アスファルトに干乾びてゐる蚯蚓《みみず》指し「これなあに」と尋《き》く子の好奇心

次の子をみごもれる妻　米櫃の大きさ急に気にし始めつ

心臓を二つ持ちたる妻の手にしかと握られゐる「母子手帳」

〈身重《みおも》〉といふ言葉の動き　週数を累《かさ》ね延びゆく折れ線グラフ

妻の下腹ふくらむにつれ臍《へそ》のあな引き伸ばされて星形に似る

「することがないから」と言ひ重き腹ゆすぶり台所掃除する妻

手巻きずし食卓飾る夜の会話腹いつぱいの平凡と知る

子の寝顔しみじみ見入る真夜中よ〈凡夫〉とふ名の酒に酔ひつつ

〈妊婦〉といふ言葉の響き　身籠らぬ父はさしづめ〈人夫〉自称す

校門を出ればたちまち父の貌《かほ》七つの顔持つ男ぞぼくは

教師より父に戻れる一瞬を吹く風ありぼくの正体は何処？

〈世帯主〉なるぼくのこころ刺す風の音ひゆうひゆう妻子《つまこ》ねむる真夜中

子と風呂に浸かる安穏たつぷりと湯は満ちたれば言ふことはなく

風呂掃除するたびに思ふ生活の垢《あか》こすりつつ生きるほかなし

おのづから選び選ばれ今ここに身を寄すぼくら三人家族

家族とは時計の針か擦れ違ひやがて重なる生活の季《とき》

ウルトラ家族

鬼の首捕りて喜ぶ子の顔は桃太郎否ウルトラマンタロウ

長男が唄ふウルトラマンの歌わが少年期流行りゐし唄

夕食の支度する妻ウルトラの母なればいつも正義の味方

「おれ」といふ言葉覚えて来たる子の「オレ」とふ響き少しはにかむ

女の子を「サン」づけで呼ぶその理由語らずそれは父にも秘密

父と息子《こ》は即かず離れず距離保ち母性と違ふ絆曳き合ふ

長男を〈悠紀《ゆうき》〉長女を〈沙紀《さき》〉としてわが紀伝体ここに極まる

ちちんぷいぷい

駅前のペットショップに並ぶ蟹ベンケイのむかうずねの古傷

うさぎの眼なぜみな赤い　かごの中逆立ちて夜を明かす毎日

「パチンコ」の「パ」の字が消えてゐるネオンどこか見なれた風景である

校門のそばにかならず咲くさくらさよならはじめましての季節

幸せを運びゆく鳥あをいとりちるちるみちる散るさくらばな

膝擦りむき泣きだす子にはこの呪文ちちんぷいぷいにこにこぷんぷん

卓上の鱈子らこらこラッコの目けふはさびしげ吾子の横顔

五月雨のなか揺れてゐるランドセルぴちぴちちゃぷちゃぷみなチャップリン

２ＤＫの城に住むぼくの楽しみのお茶漬けさらさら俸給生活者《サラリーマン》はや

うつしみ家族

桜花しきり散る夜半《よは》　係累を抱ふる覚悟決めかねてゐし

前世後世むすぶ間《あはひ》のかりそめの恋とは知らず妻を覓《ま》ぎたり

かりそめの恋の結末ひとりづつ女男《めを》増えきたるわが核家族

昏々《こんこん》と眠る妻子《つまこ》を導ける宿世《すくせ》の果ての炎《ほむら》立つ恋

子ら遊ぶ部屋に妻ゐて茶を注ぎ音たつること弥《いや》確かなる

平仮名を読みたしといふ長男に直《ひた》覚えさす端《はな》伊呂波歌

奥山を明日《あす》は越えむとはるふかくさくら散りぬる朝に決めたり

娘《こ》が唄ふ「大きな栗の木の下」に立つは来む世の「あなたとわたし」

〈柿の実がたわわ・わたしの心にはわたくしだけの恋・人が棲む〉

子らを連れ公園歩む父われの背《せな》掠め飛ぶツバメよさらば

台風の過ぎしゆふぐれ青空に懸かる二重《ふたへ》の虹を見てゐる

大小の半円描く虹のもと娘は唄ひ出す「小さい秋みつけた」

〈鬼さんこちら〉呼ぶこゑ聞こゆ妻と子と手つなぎ帰る夕虹の道

除夜の鐘鳴りはじめたりこの年も家族四人の蕎麦すする音

春待つ家族

鬼やらふゆふべとなりぬ吾が家の赤鬼・青鬼　子らと追ひ出す

やらはるる鬼は酒飲みあから顔ゆふ餉のしたくする青き鬼

鬼やらふ声す隣もやらはれし鬼がベランダ越しに微笑む

鬼たちの会話あしたの天気など差しさはりなきことに終始す

鬼やらひ終ふる朝《あした》に人形を飾る家族の春待つこころ

狂ほしくにほふ梅の香あの春のおもかげびとのゐぬゆふまぐれ

さくらばな身に浴びゐつつ恋ほしめる啄木〈あんな嘘つきはゐない〉

握りたる砂の冷たさ春の夜にこぼるるものの嵩はかりゐる

〈かごめかごめ〉闇より聞こゆ春の夜半めざめて長女沙紀は泣きだす

沢蟹をもらひ喜ぶ長男がおづおづと出す人を指すゆび

人生ゲーム

菖蒲の葉を浮かせ子と入る湯の熱さ確かめゐたり転居ま近し

恋路坂のぼりつめたる丘の上アパートは待つわれら家族を

食卓に家族の座る位置さだめ転居終へたり六月の朝

明け方に郭公の鳴く森ちかくしめやかに立つわがアパートは

大葦雀《おほよしきり》の巣に托卵する郭公よ子育てせぬは悪しき慣習

〈家長〉などもはやまぼろし父の座も日替りランチのごとき昨今

朝霧につつまれ濡るるわが愛車その名も〈家族〉走れファミリア

これの世に生まれて交はす愛欲の果て始まりぬ〈家族ゲーム〉は

人生を占ふゲーム・テーブルに広げ、采《サイ》振り「幸」待つ家族

采の目が六ならわれら大富豪「人生ゲーム」……嬉し・悲し・寂し

己が子を殺し自首する父の顔子らと見てゐる六時のニュース

長男に目にて合図す冷蔵庫のプリン食べたること秘密なり

長女沙紀今朝は寝不足気味にして無口なり「おは……」やうは聞こえず

父の役逃れたき夜は自転車で汗かきゆかなジャズ喫茶『アミ』

親馬鹿・子馬鹿

〈家族詠〉否家族・えいっ！と気合入れ運動会に旗を振る父

直線のトラック・ゴール付近には父たち群るるビデオ片手に

トラックの周りにシート敷き詰めて陣取り合戦　早起きが勝ち

紅白のカゴに入りたる玉の数呼びあぐるたび親も唱和す

運動会の王者「綱引き」飛び入りで親も汗かく設定である

父たちも活躍の場を与へられ奮起すさあ引けワッショイ！負けるな

「玉子焼き空揚げ春巻き弁当のおかずはいつも手作りがよし」

おにぎりは中身が勝負「うめぼしは外れタラコが当たり」……子の説

応援の祖父祖母やがて駆けつけてわが陣狭くなる昼さがり

陣太鼓鳴らせ親馬鹿どの父も午後の撮影場所を争ふ

子と踊る妻をテープに記録して午後一番の種目終はりぬ

マイク持ち司会してゐる教員の饒舌さらに加速する午後

本部席に座るＰＴＡ会長の髭も居眠りする時間帯

「障害物競走」の名をやめよとぞ差別はありや言葉狩る秋

親たちの馬鹿さ加減に目もくれず子らが熱中したる「棒引き」

「組別対抗リレー」最後の種目にて応援合戦白熱の渦

おせち三昧

歳神《としがみ》に捧ぐる供饌《ぐせん》　三段の箱に詰めゐる妻子《つまこ》明るし

皿の上に〈小田原蒲鉾〉白赤《しろあか》と交互に並べ娘《こ》は満足す

蒲鉾をつまみ食ひする父を見て母親の真似　娘の呆れ顔

隙間なき方がよろしと一段目祝ひ肴《ざかな》をぎゆうと詰め込む

二段目の〈芽出しくわゐ〉の芽のごとく子らよ育てと願ふ大歳《おほとし》

下段には甘煮軍団控へゐて里芋親分でんと構ふる

準備万端怠りなしと年越しの蕎麦茹でる妻　鼻唄うたふ

除夜の鐘午前零時を告ぐるときふと思ひたり「御慶」八五郎

金団《きんとん》の中に隠るる甘き実を先づ掘り出して食める長男

きつく抱擁さるる鰊の横に眠る数の子たちの見る春の夢

滴るる黒豆の汁舐めゐれば正月気分全開となる

人参に紅く染められ重箱の片隅、高野豆腐拗ねてる

ひねくれた奴かも知れず蓮根と恥ぢ交はしゐる手綱《たづな》こんにやく

褒めらるる歌作らんと歯ぎしりをしつつ銜《くは》ふる田作《ごまめ》三匹

正月はおせち三昧　舌鼓打つ暇もなく箸を動かす

元日の夜も更けゆけば志ん生の「替り目」聴きて眠らむとする

Ⅲ 物語

遠野物語

峠あまた越えて　遠野の町をのぞむ。猿ヶ石川　たぎつ瀬の音

文庫版遠野物語携へて　訪《と》ひ来たり。早池峰を拝《をろが》む　町に

馬と人　共に暮らしし曲り家に、今宵宿らむ。はろばろと来つ

萱葺きの南部曲り家　L字型に　庇《ひさし》めぐりぬ。廏舎《うまや》はあらず

しゅんしゅんと沸く鉄瓶の音　低し。遠野の町に春、いまだ来ず

新たなる薪くべ、灰に　虹鱒の串を　刺したり。粗塩《あらしほ》ふりて

串に刺し焼く　虹鱒のまだ生きて、尾鰭震はす。遠野曲り家

囲炉裏辺に聴く　オシラサマ伝説の、馬あはれなり。娘を愛す

馬の首　切り落す父の憎しみの　炎《ほむら》を見たり。生木《なまき》　爆《は》ぜたり

天翔《あまがけ》て、馬と娘は神に化《な》る。早池峰おろし吹く　冬の夜

面《つら》の色　赭《あか》き遠野の河童なり。悪戯《いたづら》を為す、馬に女に

河童の子　産みたる嫁の母もまた若き日　河童を産みたる、噂《うはさ》

囲炉裏辺に飲む　冷やの酒　辛くしあり。語り部　席を立ちて戻らず

曲り家の寝間に置かれし　和箪笥の、鐶《くわん》鳴るごとし。風吹く真夜は

凶作の餓死者　悼まむと、天明三年　義山和尚の彫りし阿羅漢

岩肌に羅漢像あまた　苔むして、顔も分かたず。二百年を経つ

豊穣を願ふ男根　石なるも木なるも起《た》てり。祠の闇に

赤き布巻かれ天指し　そそり立つ。コンセイサマと呼ばるる、男根

柳田国男三度《みたび》宿りし　高善旅館　柳翁宿《りうをうじゆく》と名付け、保存す

昭和五年　折口信夫四十四歳　遠野に来たり。夏霞のある日

志ん生のまくら

師と向かひ　あうむがへしの稽古する　若き志ん生　放蕩無頼

「死神」と綽名《あだな》されゐし　若き日の志ん生　じふろくたび、改名す

芸のためなりや、放蕩　志ん生の無頼に　妻と子の呆れ顔

極貧も芸のうちとぞ　志ん生の自伝「びんぼふ自慢」……能天気

無頼なる生活の果て　五代目志ん生　化けたり。つひに、あうむ飛び立つ

繰り返し演ずるたびに　角《かど》とれて　増えゆけり。志ん生じふはちばん

鵯《ひよ》の棲む富士山麓に　あうむきて、まいどばかばかしき　噺する

けふもまた　のらりくらりと志ん生の、みやくらくのなきまくら　聴き寝る

志ん生のおじぎに　客はまんぞくし、笑へり。まくら振るたびに　笑ふ

ああ言へばかういふまくら　弟子たちに受け継がれ、いまも　高座にぎはす

爆笑のまくらに酔へば、知らぬ間に　人情噺「子別れ」となる

志ん生のまくら聴き寝る　春の夜の、ゆめまくら　あうむ神《かむ》さびて立つ

春の終はりに

ひばり鳴き、青葉ゆれゐる多摩の丘――。こころ憊れて歩む、わが影

草はらに寝ころび　春の空見れば、やや解《ほぐ》れ来ぬ。憊れしこころ

うららなる真昼　転寝《うたたね》するわれの、こころにぽかり　風穴《かざあな》のあく

眠りゐる耳もとに来て、終末論　唱ふるあうむ一羽　餌《ゑ》づけす

終末のいつ来たるとも　よしままよ、わが死にざまを　闇に隠すな

森の奥　深き闇より鳴くあうむ。日向に晒《さら》す首　ひとつ持つ

これの世の終はりに遭はむ。幸福の青い鳥　散る散る　藤の花

藤棚の下の砂場に　われ佇《た》ちて、嗚呼と溜息　ふたつ吐《つ》きたり

空《くう》見つめ案山子《かかし》　傾き立つ畠――。麦わら帽子　ひとつ転がる

貌《かほ》のなき案山子は見ずや。途惑ひて　われ溜息をふたつ　吐《つ》くさま

あうむ世代

偽善者を装ふ友と　世を憂ひ、詩を書けり。はるか　高校時代

己《おのれ》とは何《なん》なりや。今日も立ち読みの、倉田百三「出家とその弟子」

制服の廃止されたる　高校に　流行りをり。「四無主義」とふ言葉

全共闘も安保も知らぬ　わが世代。仮想敵なし。明日《あす》見えざりき

ピンク・レディーの太腿まぶし。ときめきの少なき　われら、しらけ世代

しらけ鳥　飛んでみなみの空に、消ゆ。みじめにあらず、小松政夫は

突然に現はれ、踊る電線マンの　肩の向かうに明日を　探りぬ

鯛焼も　海を泳ぐよ。流さるるばかりの己　歯がゆし。春は

アイドルと呼ばるる　雨後の竹の子の、女王なり。わが山口百恵

地下駅の通路に貼られ、破れゐる　手配写真に多き　同世代

歌舞伎町午前二時　人の波絶えず。ハルマゲ丼を喰《く》らひ　わが佇つ

餌《ゑ》づけたるあうむ一羽を　肩に乗せ、高橋和巳読む　夏の夜

天塩

棗政吉は越前の貧しい村に生まれ育ち、明治二十三年春のある夜、突然家を出た。

故郷《ふるさと》を捨てし曾祖父、政吉の　われ呼ぶ声を　聴く。春真昼
青空に掌《て》をかざし、見む。幾すぢも蒼き山脈《やまなみ》成せる　血の管《くだ》
故郷と親族《うから》裏切る　春の宵――。仰ぐことなし。桜花《はな》　盛りなり
春の闇　今宵は深し。息たてて眠る子ふたり　置きて、家捨つ
乳飲み子の顔　見ず発《た》てり。村の金を盗み、政吉　二十六歳
亡き兄の妻を　娶りぬ。三年前。気の合はざれど、政吉　お人好し
子と妻の幸《さち》　祈りたり。越前を去る朝《あした》　二度と踏まぬ、この土
敦賀より　船に乗り、めざす開墾地――。骨を埋《うづ》めむ。遠き外地に
北へ北へと進みゆく　船。行く先は知らえず、深き霧　日本海
右手首に　うすく浮き出る血管の、蒼さ――。荒海を越ゆる　血脈

やがて船は、北海道も最北端に近い〈天塩〉といふ地にたどり着いた。

白みゆく空の彼方に　島影の　見ゆ。新天地、妻子《つまこ》捨て来つ
桟橋に立つとき見たり。果てしなく　続く原野と、低き山脈
原生林を拓けど、いまだ道ひとつ　作れず。荒れたる土　掘り起こす
下草を焼き　切り株を起こす日々。痩せゐる体軀　さらに痩せたり
墓標のごとく　切り株ならぶ開墾地――、逃ぐる者　多し。九ヶ月過ぐ
一攫千金の予想　夢と消ゆ。切り株に腰掛け、啜る　実のなき汁を
過去すてし者ら　集へる　北の国――。故郷は春、帰るすべなし
美しき名を持つ里に　移り住む。美流渡《みると》の町よ。幸あるごとし
棗政吉　流浪の果てに　妻を覓《ま》ぎ、大工と成りぬ。三十五歳
わが母の　父も津軽の海を越ゆ。身ひとつに　かなし。大正の末

岬にての物語

草深き島山の道。葛の花　地につたひ咲き、夏逝かむとす
島山にやむ気配なき　蟬しぐれ。喘ぎつつ登る。岬への道
切り立てる岬山《さきやま》の端《はな》　風強し。伊良湖・神島　靄がくれ、見ゆ
海女の島　かすみて見ゆる岬山の、断崖に佇ち　絵を描《か》く女
画布《カンバス》に向かふ横顔　あの夏の少女なり。うなじ清く、かがやく
面伏せて絵筆うごかす　指細し。深く息つく、紅き　くちびる
油絵を描《ゑが》く後姿《うしろ》の　束ね髪。抑へがたかり、昂ぶるこころ
まつげ長き少女　読みゐき。ふた昔前、海女と漁師の恋物語
徹夜して詩を書き、渡す　校庭の隅に　咲きたる白百合の花
過ぐる日をノートに記す　万年筆。インク香りぬ。詩を書く朝は
睦まじく、二羽の海鳥　空に舞ふ。黙《もだ》し、見てをり。われと女と
唐突に目隠しさるる　崖の上。隠れんぼせよと、女迫り来
岬にてする隠れんぼ。鬼われは　百まで数ふ。草の茂みに
もういいと、声する方《かた》に崖ありて　奈落の海は凪ぎ、輝ける
夏草をかき分け探す　岬山に　女ゐず。陽射し、はげしき日暮れ
浜木綿の白き花咲く　岬山の、道に喪ふ。夏の女を
眼間《まなかひ》に　女消えたり。落陽を描きし画布　ひとつ残して
面影を抱きつつ下る　島山の道に　無数のみみず、干乾ぶ
縄文の遺跡眠れる　鯨浜。砂に埋《うづ》めむ。わが腕時計
暮れ果てし島山に鳴く　蟬の声。火照りたる身の旅は、卒《を》はりぬ

Ⅳ 青年

まほろばの恋

まほろばの恋を遂げむと海境《うなさか》を越えてはろばろ大和まで来つ
かへるでの紅葉《もみ》つ木ごとに色づきの差はあり恋の激しさに因る
九体寺の池のほとりのかへるでの赤きてのひら水面《みなも》漂ふ
冷えしるき本堂に九体並び坐す如来像鈍きひかり放てる
しつとりと闇に浮かべる白き頬吉祥天女に恋するわれは
旅にしてひと恋《こ》ほしさの増す真昼たわわに実る柿を見てゐる
目鼻なき石仏のまへ柿の実が三《み》つ置かれゐて更けてゆく秋
風強き竹群のなか盛り土の卒塔婆に即身成仏の文字
この辻をいづちへ曲がるみぎは奈良ひだりは伊勢といふ別れ道
あかあかと空夕焼けて今生の別れの色に染まる大和よ
鷗飛ぶ海原の果て悠《はる》かなる大和国原見に来つわれは

歳月の闇

夜ごと闇に火を放ちゐし青年の孤独はるかなれば青春

青春の最中はいつも暗がりを転がる石と思ひ込みをり

歳月は蜜したたらす実のごとく甘き香放ち闇に溶けゆく

時に碧《あを》ときに紫あぢさゐはこころの色を映し変化《へんげ》す

映されしこころの色を染めあげて恋とふ魔術　面影は顕《た》つ

水無月のあぢさゐに降る雨の音きみ逝きし日の跫音《あしおと》に似て

漆黒の闇の底よりぼたん雪いやつぎつぎに舞ひ狂ふ夜半《よは》

中空《ちゆうくう》に差しだすきみのてのひらの柔《やは》きおゆびに触れて散る雪華《はな》

彼《か》の恋は暗中模索五里霧中吹雪の信濃行方知らえず

あの冬の湖《うみ》の辺《ほとり》の散歩道たつた一つの表情がある

桜幻想

淡紅《うすべに》のしだれ桜は幾万の小《ち》さき花弁の群れ垂るるなり
みづからの重みに堪へず垂るる枝しだれ桜は地に向きて咲く
花房を地にすり揺るる老《おい》しだれ天《あめ》より下るまぼろしの滝
紅枝垂咲く寺庭に射すひかり恩寵のごとし輝きやまず
盛り上がりやがて崩るる花の嵩《かさ》しだれ模様は欲望に似て
咲き満つるしだれ桜を仰ぎ見し少年の日は明日を恐れず
花冷ゆる春に夢見る少年の頬あかあかと燃えてゐるなり
海を恋ふる少年の瞳《め》にいつぽんの桜みどりの花映しをり
地より舞ふ桜吹雪に目瞑《つむ》ればただ白じろとはてしなき海
前《さき》の世の記憶さくらの樹の下におもかげびとは花浴びて立つ
はらはらと降る花びらに面影は忘れがたしも夜目しるく顕つ
散り交はす花びら道を埋《うづ》めたり後《のち》の世までも続く坂道
前世後世つなぐたまゆら今生の桜盛りをいま過ぎむとす
渦巻ける闇を震はせ法螺の音《ね》は桜舞ひ散る谷に響けり
妣《はは》の国恋ふる思ひに下りゆく山桜花うつろふ谷間

はだすすき

夕陽受けきらめく水面《みなも》多摩川の岸辺穂に出ぬ恋はだすすき

狂ほしく穂すすき靡く原野《はらの》ゆきともしき妻を待つこのゆふべ

こほろぎの声聴きねむる秋の夜の尾花が末《うれ》に靡け遠妻

秋風に乱るるすすき花妻をゆめ忘るなとこほろぎの鳴く

いちめんの花野のすすき背に受けてわが隠妻露に濡れ立つ

一目のみ見し面影の顕つ夜半の多摩の横山雲よ隠すな

いちしろく呼ぶことはなしむささびの木末《こぬれ》の闇にわが魂あそぶ

ゆらゆらと空《くう》を漂ふくらげゐて天離る鄙　宇宙といふは

宿世の恋

こゝろゝろと鳴く虫たちと語る夜は色即是空　身のうつつなし

闇の夜に紅い花摘む女ゐてわれを手招きする午前二時

汝が胸に花抱《いだ》かれて甘き香を放つ暗闇　摩訶曼珠沙華

触れざりしくちびるを恋ふ夜半の月かがやけばまた面影の顕つ

穂すすきの靡く岸辺に蟋蟀《こほろぎ》のこゑ満つるとき恋は終はりぬ

夜の明けに沈む満月ほれぼれと見飽かず愛染明王の顔

朝日さす多摩の岸辺に散れる花ただ耿耿《かうかう》と風に吹かれて

のざらし

死ぬまでの距離たしかめて俳優は顔しかめたりラスト三分

三輪車倒れてゐたる公園の砂に埋《う》もるる少年の首

野晒しを探す男の物語聞けば身にしむ秋の夜長は

殺されて野晒しとなる骨あれば骨の行方を尋《と》むる仕事あり

逆さまに言葉の並ぶ辞書引けば中年もまた杳《とほ》きあこがれ

修羅の日々

苦しみてつききし嘘の数ふえて修羅となるべし中年の日々

蟬しぐれ背《せな》に聴きつつ中年の坂越ゆるすべ探しゐるわれ

地獄図に見る赤き鬼　抜き了へし舌を川辺に並べほほゑむ

蓮の葉を器用に避けて泳ぎゐるあめんぼのごと生きたしわれは

下駄の音に驚き首を縮めたり夕焼けに甲羅染めてゐる亀

腕をひろげ身も軽々《かろがろ》と飛ぶ天女壁画の闇になまめきひかる

邪鬼踏みて怒り冷めざる四天王つぎつぎにわれを睨む激しく

千の掌《て》に千の眼を持つ観音の救ひにすがる他なきかわれ

さるすべり池に散る午後おもひ見む〈地獄は一定すみかぞかし〉

夢のあとさき

坂道をのぼりつめたるその先に夢のつづきの藍いろの空

ひまはりの黄の花つづく田舎道いつか来た道きみ去りしみち

友情ヲ信ズと告げて去るきみの肩に降る雨わが横恋慕

曖昧に言葉濁して別れたりひまはりに訊《き》く恋のゆくすゑ

茎太きひまはり畑さまよへばキミヲナクシタ！十七の夏

殺めたきほどの恋情　食卓に鈍きひかりを放つピオーネ

ぶだう食む八月の朝　指さきに雫したたり愛欲〈た・わ・わ〉

したたれる恋のしづくの甘き香の蘭の花束買ひ求めたり

夢の中に黒髪にほふをんなゐておめおめ生くるわれを叱咤す

誕生日を祝ふ絵葉書　あの夏の〈杏村《あんずむら》〉から届く溜息

溜息に籠めらるる罠だましあふ女男《めを》なる宿命《さだめ》ゆめのあとさき

宥《ゆる》されてこの世に生くるかなしみを修羅となるまでわれは恋ほしむ

鳴きやまぬつくつくぼふし死者の影この世の果てに待つ恋もある

どしやぶりの雨中にラガー走る見て夏の終はりの遠雷を聴く

ゆふぐれに〈きみまち坂〉を越えたれば終焉ちかし蒼い時代

V 幻影

はかなごと

はかなごと呟きゐたり唐突に死の報きけば立ち尽くすのみ

秋彼岸過ぎて半年　骨壺に眠れる人を追ひしか汝《なれ》は

きのふまで息せし友のかなしみを埋《うづ》めよ春の花吹くひと日

桜咲く季《とき》を待たずて散りし人さびしまむとす花のしたにて

振りあふぐ枝垂れ桜の揺れゆるるこの春見ずて逝きにしふたり

戒名を持つ友ふゆるさみしさに酔へばはかなむこの世とやらを

友逝きしゆふべ見てをり多摩の丘に輝き回る大観覧車

観覧車ゆるりと回る闇のなか友の魂さまよひてゐむ

自転する地球　綾なす夜のネオン死ににしものの無念ただよふ

ふたり

散りふぶく枝垂れ桜にうたれゐてひたに恋ほしき死ににしふたり

去年《こぞ》の春この樹の下に並びゐしふたりは在らずあらずさびしき

紅き唇《くち》をうつすらと開き眠るごとしうつくしかりき汝《な》の死化粧

紅き唇あざやかに輝《て》り彼のひとのもとに旅立つ汝の薄化粧

汝の長き髪ひとつかみその父は断ちたりわが娘《こ》を慈しむ掌

父親に遺髪切らする汝の仕打ちをわれはさびしむすべなけれども

すすり哭くこゑの途絶えし庭に立ち棺打つ鈍き音を聴きをり

酔へばまた汝を傷つけしわが言葉よみがへり来ぬ愚かさを恥づ

今生の別れの時ぞ汝の骨を拾へる箸の長さ気にやむ

骨ひろふ音しやりしやりと響く部屋がらんどうなるわれらがこころ

寄り添ふ影

透きとほる羽《はね》ふるはせて啼く蟬の雄ごころ夏のゆふぐれに果つ

谷へだて啼く蟬のこゑかなかなは逝きにし者の魂《たま》呼ばふなり

水の辺に蛍舞ひ飛ぶ城山の真闇にまぎれゆくものの影

身を焦がし魂果つるまで飛び交ひて草蛍いま輝きを増す

うつせみの命燃やすと蛍火のゆらめく闇に咲く夏椿

彼のひとのいのちの果てを伝へてよ水蛍わが胸に寄り来ぬ

川の面《も》に音なく散れるくれなゐの百日紅《ひやくじつこう》をさびしみてゐる

神の島見ゆる岬に影ふたつ寄り添ふ夏のふたたびは来ず

鬚髭

栗の毬ひとつ転がる坂道にたたずみ明日の夢探しゐる

この坂を越えて輝く海見たしわが憂鬱の癒ゆる日を恋ふ

ひと夏を鬱なるわれは閉塞す鬚髭《ひげ》のびてやや凝れるこころ

「口髭ノ男ハ嫌ヒ」とつぶやきて坂越えゆきしをんな恋ほしむ

苛立てる漱石を思ふ口髭を撫でつつパンを齧るゆふぐれ

鷗外の口髭ぴんと天を指し嗚呼はるかなれ恋の行方は

惑ひ

これの世に在らざる友ら呼びだして酒飲まむ今宵満月の夜

下るやら上るやら中年といふ坂のバス停に立つ冬の日溜まり

ワープロの画面に打てる「死」の文字を見つめをり歌を書きなづむ夜

「恋」といふ観念語打ちワープロの画面に「故意」と出でたり可笑し

迷ひつつ駆けぬけてきし闇ひとつ特急あづさ泥に汚れて

ひた奔《はし》る甲斐路信濃路酔ひつぶれ惑ひ払へずどしや降りの夜

二次検診右手より採る血の濃さに途惑ふ蒼き時代は逝きぬ

惑ひ多きわが胃袋に流し込むバリウム味気なく鬱の日々

〈息吸ツテ・ソノママ止メテ〉友ふたり不惑を越えず去年逝きにけり

胸やけの気怠《けだる》さに身を任せつつ亡き友らおもふ信濃、朝霧の……

情死行

死の意味を問はれたぢろぐわが前にためらはず〈死〉を選びし女

くちづけを待つ間のごとく目瞑りぬ胡蝶蘭その白さまぶしき

死化粧の君に対《む》きゐて中也の詩「春日狂想」を思ひ出したり

稚き死者をつつむ白菊白むくの花嫁御寮うつくしかりき

溺れたる恋はうつせみ三十八歳不惑を越えず死にけり太宰

散歩道・玉川上水情死行・一蓮托生・太宰・畜生！

桜桃忌・入水・愛人・誕生日・人間失格・道化・水無月！

絶望感・孤独・結核・罪悪感・心神耗弱・太宰・弱虫！

世の名残、抱きあふ膚のぬくもればお初・徳兵衛しのび哭く夜半《よは》

今生の鐘の音《ね》ひびく明け六つの天神の森、小夜烏鳴く

繰り返す南無阿弥陀仏　喉笛に突き刺す刃なむあみだぶつ

比翼塚・天の網島・大長寺・小春・治兵衛の道行・成就

死のにほふをとことをんなだらしなくぶらさがりゐる肉のかたまり

腐爛死体二体発見一月後情死完遂無言有島

軽井沢・雨・縊死・成就・浄月庵・秋子・有島・蛆湧き無惨

あいしたるをとこおひかけかはわたりうちじにしたるをんなかなしむ

沖縄戦を憶ふ

かつてこの南の島に戦闘機・軍艦群れて無惨尽くしき

月桃の花咲く島に降り立ちぬ沖縄戦わが生るる十余年前

旧海軍司令部壕内作戦室幕僚室四百名自決せし穴

旧陸軍病院分室糸数壕重傷患者数多置き去り

〈処置〉と呼び負傷兵数百を薬殺す此所旧野戦病院ガラビ壕

壕の闇に死を覚悟せし避難民握りしむ手榴弾、青酸カリ、カミソリ

懐中電灯消せば真の闇……壕のうちに死にたる者のいのちの気配す

戦ひは惨たるとのみ洞窟《ガマ》の中いまだ細かき骨残りゐる

軍国主義神国日本『戦陣訓』皇民化教育集団自決

戦死者の氏名を刻む「平和の礎《いしじ》」敵味方なし海に向き立つ

戦没者刻銘石碑沖縄人《ウチナーンチュ》約十五万悲憤慷慨

北海道日高出身野村某父の従兄《いとこ》ぞ沖縄に死す

朝鮮人軍夫・慰安婦・強制的連行・動員・戦死・虐殺

『戦陣訓』「鬼畜米英」「降伏は恥」「捕虜となる者は……処刑す」

断崖に身を伏せをんな怺《こら》へゐしが火炎放射器迫る　飛び降る

米兵を「自殺の断崖《シューサイドクリフ》」と懼《おそ》れさす本島最南端、絶壁の海

沖縄戦終結の地の崖下にいまだ拾はざる遺骨散りぼふ

身を投げし者ら眠れる崖下の密林に咲く紅きデイゴの花

砂糖きび畑のむかう金網に守らるる自由の国ぞ〈ア・メ・リ・カ〉

「象のヲリ」その内側に守るもの世界の平和　否！否！否……否

あとがき

大学二年の春、古代研究所付属の万葉研究会（指導・岡野弘彦教授）に入り、その年の暮れの万葉旅行に参加した。そして最後の夜に行なわれる歌会のために、初めて短歌なるものを作った。――「前世後世いかなる罪か餓鬼どもの皆それぞれに姿態ちがへる」。歌会に出したこの作品を少しだけ褒められたのが、歌との出会いだった。

その後「人」短歌会に加わり、細々と作り続けてはいたのだが、歌に対する執着はとても淡いものだった。さらに就職してからの数年間は歌に対する意欲も湧かず、いつやめようかと悩んでいた。ところが「人」創刊二〇〇号（一九九〇年七月）に出した「心傭れて」八首が巻頭作品に選ばれ、それが転機となり、休まずに歌を作るようになった。

翌年には第五回「人」作品賞に応募して、幸運にも「家族の肖像」三十首で受賞することができた。師岡野弘彦の「やがて二人目の子が生まれようとする年若い家族の生き方が、明るく楽しく歌われていて、とどこおるところがない……今の日本のありようが、この明るくこだわりの無い家族の肖像の上に、ありありと見えてくる」という言葉がとても嬉しかった。以後の私の家族詠はこの言葉が拠り所となったので、歌集の題とした。

この集には一九九〇年から一九九七年までの作品から四四六首を選んだ。この八年間で私の文体は様々に揺れ動いている。発想は現代語脈であるが、用語が口語調の時も文語調の時もあった。その時の気分で詠み散らしてきたと言える。その功罪は読者の判断にまかせたい。また歌の配列は年代順ではなく、内容を五つのテーマに分けて再構成した。だから文体的な統一はとれていないし、前後の作品が全く違う雰囲気となったところも多い。

ある人が私の歌を「直截なリアリズム」と評してくれた。その是非はわからないが、確かにⅠ章Ⅱ章ではその傾向が強いと思う。歌集となってからどう読まれるのかが楽しみである。ただしそのリアリズムには私の抱える現実が背景にある反面、現実そのままでないことは当然である。Ⅲ章には一年間だけ句読点・字あけ表現を試みた時期の作品を集めてみた。仲間からは様々な批判が集中したが、自分では楽しみながら歌ったつもりである。以上三章を自分では「雑歌」だと考えている。そしてⅣ章には「相聞」を、またⅤ章には「挽歌」を中心に選び、今までの総まとめとした。三十代最後の年に歌集をまとめる決意をしたのは、この部立を通して自分の歌を振り返り、新たな展開をめざしたいからである。

一九九三年九月に「人」短歌会が解散した後、成瀬有を中心とした「歌誌白鳥」に参加した。この五年間には様々なことがあった。一番残念なことは、「人」以来の仲間であった鈴木正博さんが一九九五年九月に急逝したことである。さらに悲しく辛かったことは「歌誌白鳥」に後から加わり鈴木さんの婚約者となった今泉重子さんが、半年後に恋人の後を追ってしまったことである。ふたりを知る者たちに与えた衝撃は大きかった。私の人生観も大きく揺らいでしまった。Ｖ章はふたりへの思いが中心となっている。

この五年間、成瀬有、一ノ関忠人両氏にはお世話になり通しだった。能天気でわがままな私をいつも暖かく見守って下さったことに心から感謝したい。これから作品を通して恩返しをしたいと思っている。また恩師岡野弘彦を中心とする旧「人」短歌会のみなさん、さらに「歌誌白鳥」の仲間たち、そして家族にも深く感謝したい。

最後になるが、出版をお願いした角川文化振興財団の上田光生氏、素敵な装幀をして下さった伊藤鑛治氏にも改めてお礼を申し上げる。

一九九八年五月五日

棗　隆

＊本書は一九九八年七月に角川書店より刊行された歌集『家族の肖像』を復刻したものです。

検印
省略

二〇二四年九月三日　印刷発行

歌集　家《か》族《ぞく》の肖《しょう》像《ぞう》（私家版）

著者　棗《なつめ》　隆《たかし》
郵便番号一九三―〇八三三
東京都八王子市めじろ台三―三六―五

発行者　國兼秀二

発行所　短歌研究社
郵便番号一一二―〇〇一三
東京都文京区音羽一―一七―一四　音羽YKビル
電話〇三（三九四四）四八二二・四八三三
振替〇〇一九〇―九―二四三七五番

印刷　KPSプロダクツ
製本　牧製本

ISBN 978-4-86272-781-7 C0092